DER LACHARTIST

Hermann Burger

Der Lachartist

Aus dem Nachlass

herausgegeben

von Magnus Wieland

und Simon Zumsteg

Edition Voldemeer Zürich

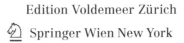 Springer Wien New York

Hermann Burger (1942–1989)

Magnus Wieland, Zürich
Simon Zumsteg, Zürich

Veröffentlicht mit Unterstützung durch
den Regierungsrat des Kantons Aargau.

Edition Voldemeer Zürich
Postfach 2174
CH-8027 Zürich

Gestaltung und Satz: Edition Voldemeer Zürich
Repro: Manù Hophan, Zürich
Druck: Gebr. Klingenberg Buchkunst, Leipzig
Printed in Germany

SPIN 12613571

Mit einer Abbildung

ISBN 978-3-211-95983-1 Springer-Verlag Wien New York

Springer Wien New York
Sachsenplatz 4–6
A-1201 Wien
www.springer.at
www.springer.com

INHALT

Der Lachartist

Man hatte ihm als Kind, und er war ja ein
Freak, was Anker-Steinbaukästen betraf, mut-
maßlich, so heute seine Herzspezialistin, immer wieder Staub zu fressen gegeben, eine seiner frühesten Erinnerungen, wobei wir ihm
zuschlechte halten müssen, dass es in seinem
Gedächtnisapparat grausam knirscht, ist die,
dass ihn die Mutter, als er an seinem Keuch-
husten fast erstickte, auf Anraten der Bonne,
einer aus Paris stammenden Edelhure, den
zimtroten Inhalt eines Stundenglases schlucken ließ, nicht nur das, sie verlangte auch,
dass er die goldgefasste Sanduhr zerbiss und
die Scherben sich einverleibte, woher, viel-
leicht, aber es ist obduktiv schwer auszumachen, jene Schmandnarben zunächst in der
Speiseröhre, dann, denn die Wege von Fremd-
körpern sind unerforschlich, im Zwerchfell
stammen, die ihn später zu seiner Lachkunst
befähigten, und wenn wir hier als sein Ver-
schollenheitsinspektor das so hoch gegriffene
Wort von ›können‹ ableiten, wissen wir auch

9

um seine kryptische Etymologie, die auf ›Tort‹ und ›Tortur‹ verweist.

Gerade weil seine Kindheit gewissermaßen im Sand verläuft, sind ihre Spuren so schwer auszumachen, denn wo einer in der Wüste Fußtritte hinterlässt, verweht sie der heiße Atem Gottes, der bei der Erschaffung dieses Geschöpfes in lauterster Absicht nur Gold zu waschen gemeint hatte. Die Mutter, so viel steht fest, war Ärztin, und wenn sie, als ⟨10⟩ der Keuchhustenanfall die Glasvilla, eigentlich eine Konstruktion von zwölf Wintergärten mit angegliederten Orangerien, in ihren Grundfesten erzittern ließ, aus der hippokratischen Überzeugung, dass jede Art von pulverisierter Mitgift mörderischer sei als flüssige Mixturen, zu einem auf den Asklepios mit dem Schlangenstab zurückgehenden Naturheilmittel griff, kann ihr zumindest das »nil nocere«, das im Medizinereid verankert ist, nicht streitig gemacht werden, wie denn überhaupt zuhanden des Bundesgerichts, das die Ediktalladungen erlässt, zu Protokoll gegeben werden muss, ob diese Dame, die bei jeder Miss-World-Wahl obenaus geschwungen hätte, in irgendeiner winkeljuristisch-ariadnisch-minothau-

rischen Weise schuldig gesprochen werden
könne, insonderheit des Umstandes, dass ihre
sensationellen Blitzkurerfolge als Geschlechts-
ärztin auf dem Prinzip der Hollywood-Divas
»Wir machen scharf, doch keiner darf« be-
ruhten.

Sie muss eine verführerische Märchener-
zählerin und geradezu Proustsche Gutenacht-
küsserin, um nicht zu sagen divine Betthupferl-
fee gewesen sein, denn der Lachartist hatte in
den Zeiten seines Sahara-Propädeutikums immer wieder die Geschichte vom Sandmann im
Originalmutterton zum Besten gegeben, derge-
stalt, dass die Drusenwichtel dem Festgezurr-
ten im Jugendstilgitterbett das Wüstenelement
in die Augen streuten, um es zu blenden, will
sagen ihm die Oasen zu verfinstern. Es waren
Stahlbänder, mit denen das Kind an die drei-
fach mit uringelben Gummimatten abgedich-
tete Matratze festgeschnallt war, damit es, da
sein Schlummerkäfig in der Ecke des Eltern-
schlafzimmers stand, nicht onanieren konnte,
während die schöne Mama im Ehebett mit ihren Stammpatienten den Fertilitätstest oder
die Penis-Plethysmographie durchführte, ihr
Mann, Inhaber des Bestattungsinstitutes Con-

cordia, simultan, damit der aseptische Glanz
gewahrt blieb, die Schachfliesenböden der un-
teren Räume zu schrubben hatte. Wahrscheinlich kann eine Wurzel für die spätere hohe
Zwerchfellartistik des Kindes aus dem Um-
stand ertüftelt werden, dass die Dermatologin,
wenn ihren fruchtbarkeitsverunsicherten Kun-
den das Sputum ins Glasröhrchen schoss, ko-
loratursopranistinnenhaft loslachte, doch die
Bonne aus Paris, die ihre schmutzigen Francs
an der rue Tripes verdient hatte, weinte ent-
setzt, wenn sie die Spermaproben ins villenei-
gene Labor trug.

So göttlich schön war diese Mutter, und dies
sagt selbst die Herzspezialistin des Gobigraun-
Versandeten zu ihrer Entlastung, dass sie das
Kind, das so steril behütet heranwuchs, geradezu reinlichkeitsneurotisch mit Dreck füt-
tern musste, damit sie selbst ihr griechisches
Profil, ihre klassische Oberweite, ihre Tizianlocken ertrug, denn alles Makellose bedarf,
um die Weltharmonie nicht aus den Fugen zu
stürzen, des programmierten Kunstfehlers,
den sich die Erfinderin der Penis-Plethysmographie in ihrem Beruf unter keinen auch noch
so in-dubio-pro-reoesken Umständen leisten

konnte, aber die Pariser Bonne als freilich höchst unterkühlt dubiose Zeugin hat Recht, wenn sie auf der Spezifizierung der Götterspeise beharrt, Cigarrenasche war es zum Beispiel, die der Vater als Havanna-Liebhaber aus Unachtsamkeit fallen ließ, also ein Pflanzendüngmittel, welches das Kind von den Marmorfliesen zu lecken hatte, wozu die stolze Mutter, Herrin über Leben und Tod, gerne Mephistos Worte zitierte: »Staub sollst du fressen, und mit Lust.«

Scheintoten, wenn sie reglos im Sarg liegen, kitzelt man, wenn das Weinwarm und die Senfwickel, auch die After-Tabaks-Klistiere nichts fruchten, gerne den Schlund mit einem salmiakgetränkten Pinsel, vorausgesetzt, dass es gelingt, die Kieferstarre zu brechen, so muss es dem Kind der Ärztin vorgekommen sein, wenn ihm die Mutter anstelle des Gutenachtkusses ins Gesicht spuckte und dazu sagte: Ich habe dich nur deshalb nicht abtreiben lassen, weil ich hoffte, deine Homunculus-Abnormitäten in Spiritus, dein Kümmerglied mit dem Fernrohr studieren zu können, du musst wissen, ich bin eine Wissenschaftlerin von Geblüt, und sie berichtete ihm eine Sage aus dem Jugendbuch »Der teutsche Märchenwald«, es war die Geschichte der Sprengreiterin Kommanda, die der bettelarmen Häuslerin den Säugling raubte, ihn in ihr Schloss am öden Nordseestrand entführte, zum Prinzen erzog, in Seide kleidete und, als er sie, zum Jüngling erblüht, heiraten wollte, in Ketten legte und wie einen Schatz im Sand vergrub.

Oft in der Biographie großer Artisten, welche die Erniedrigungen der frühesten Kindheit in die Leidenschaft transformieren, sich das Äußerste anzutun, sind es gerade solche Märchen, welche den Spiel- zum Kunsttrieb peitschen, der teutschen Kommanda als Lakai zu dienen, wäre unendlich leichter gewesen als das Schicksal einer schönen Ärztin, die ihren Erst- und Einziggeborenen in die Wüste zu schicken beabsichtigte, und sie richtete ihm in der ambrosisch duftenden Orangerie einen zwei Meter breiten, vier Meter langen und acht Meter tiefen Sandkasten ein, wo der Sohn Kakteen pflanzen durfte, und da, eines nebelbrodemverhangenen Tages, als er, weil ihm die Pariser Bonne den Tipp in Form eines amourösen Billetts zugespielt hatte, das schönste Exemplar für seine verehrte Mutter ausgraben

10

20

wollte, ach, er hätte sogar mit zehn Fingern
in die Stacheln gegriffen, um sein Geschenk
durch den Blutzoll zu veredeln, hörte er die
grünfleischigen Hungerkünstlerorganismen,
und er täuschte sich nicht, denn er besaß das
absolute Gehör, lachen. Das war, dies nachzu-
tragen, darauf beharrt seine schwäbische Uro-
login, bereits in der Gymnasialzeit, in die be-
kanntlich die verheerendste Naturkatastrophe
fällt, von der aseptisch Wohlbehütete heimge-
sucht werden, die Pubertät.

Seine Zeugnisse waren nicht nur in Ord-
nung, er konnte jedes Quartal eine blanke
Einser-Bilanz präsentieren, doch die Richter-
Skala zur Erdbebenmessung ist nicht nur nach
oben, sondern auch nach unten begrenzt offen,
und es gab schlechterdings keine Leistung, mit
der er die Fertilitätsspezialistin hätte beein-
drucken können, sie guckte sich das graue
Pappdokument des Humboldt-Gymnasiums
nicht einmal an, schickte ihn damit zum Vater, der die Unterschrift hinkrätzte wie unter einen Seebestattungsvertrag und ihm vor-
schwärmte, wie der Kranz noch auf den Wellen
schaukelt, während die Urne auf den Grund
des Meeres sinkt. Auch sein Metier hatte mit

dem Wüstenelement zu tun, denn wo liegt der
Unterschied zwischen Asche und Sand. Insbe-
sondere bei der kalten Kremation, wo der Stein
des Sarkophags Fleisch und Knochen auffrisst,
denkt man, weil die Toten, die Toten die grö-
ßeren Heere sind, an die verwehten Dünen der
Kalahari.

Es lag nun nicht mehr in der Macht seiner schönen Mama, ihn mit Stahlbändern,
die durchaus eine Karriere als Entfesselungs- 10
akrobat hätten begründen können, am Mas-
turbieren zu hindern, doch sie verlangte, vom
Putzteufel besessen, dass er die Flecken in
den Leintüchern selber auswusch, und wenn
sie das Linnen mit der Lupe musterte und bei
der Entdeckung des minimalsten Hodenres-
tes eine Nachreinigung verlangte, während sie
sich ihre eisvogelblauen Lidschatten malte und
das Red-Fire auf die Nägel auftrug, konnte es
im Sinne einer Sternminute vorkommen, dass 20
sie den Erst- und Einziggeborenen, aus natur-
wissenschaftlicher Neugier nicht Abgetriebe-
nen mit ihrem zungenbelegten Lachen be-
lohnte.

Die Herzspezialistin des Lachartisten, der
seit dem zwanzigsten Altersjahr unter dem

Künstlernamen Riderius Gelan auftrat und
rasch zum Topphänomen dieser Sparte avan-
cierte, legt zu protokollhanden der Verschol-
lenheitsakte, die hier nicht im vollen Wortlaut
publiziert werden darf wegen des Ediktal-
geheimnisses, cardialsubtilsten Wert auf die
Feststellung, dass die proportional zur Zwerch-
fell-Entertainerkarriere zunehmende Suchtab-
hängigkeit von Wüsteneien aller Provenienzen
keine Perversion im engeren Sinne ist, sondern
dass man von einem Vater, dessen Geschäft
hölzerne Röcke sind, und einer Mutter, die sich
auf das Abzapfen von Sperma spezialisiert hat,
systematisch in eine Schwarz-Weiß-Entschei-
dung hineinerzogen wird. Nehmen wir als Bild
das Schachspiel. Bei Weltmeisterschaften wird
den Kombinations-Akrobaten die Farbe zuge-
lost, und wer Elfenbein zieht, beginnt, egal ob
mit der sizilianischen oder der zisterziensi-
schen Eröffnung.

Oder die Zauberer. Sie haben nach Ablegung
des Abracadabra-Eides, der sie auf ewig daran
bindet, die Geheimnisse ihrer Kunst nicht zu
verraten, die Freiheit, sich für die weiße oder
die schwarze Magie zu entscheiden. Als Menta-
listen sind sie mit dem Teufel, als Illusionisten

mit der Crux, die jedes Trickgerät auszeichnet,
im Bund. Für den professionellen Lachartisten gibt es dieses Kierkegaardsche Eller-Ol-
ler nicht, weil der schwarze Humor dem wei-
ßen zum Verwechseln ähnlich sieht. Aber die
Parallele zum Prestidigitatorischen liegt auf
der Hand, denn wie der Nachwuchs-Scharla-
tan, sofern er nicht als Wunderkind zur Welt
kam, von der Pike auf das Filieren, Buckeln,
Glissieren, Voltieren, Palmieren, Eskamotieren 10
zu lernen hat, absolviert der Fröhlichkeitsal-
leinunterhalter Propädeutika im Grinsen und
Gackeln, Prusten und Losschallen, Kichern
und Ha-ha-Explodieren. Und er durchläuft
die harte Schule des Ventriloquismus, nicht
um einer Puppe seine Conférence in den Nuss-
knackermund zu legen, sondern weil die Vir-
tuositätsheiterkeit von der Bauchatmung her
gesteuert werden muss. Die Lunge ist naturgemäß ein schlaffer Sack, sie muss aktiv ge- 20
dehnt werden können, es kommt auf die äußerste Beherrschung der Rippen an, somit des
ganzen Skeletts, und die absolute Krönungs-
disziplin ist, wie der Altmeister Spardelotto in
seiner epochalen Schrift »Das Gebissblecken«
darlegt, das so genannte Tränenlachen.

Nun ging schon Sigmund Freud der Frage nach, wann, wo und aus welchen Gründen riderisiert der homo sapiens. Gemäß der Theorie des Witzes wird seine Lachmuskulatur immer dann gereizt, wenn er unerwartet von einer höheren auf eine tiefere Ebene fällt. Maria, die Mutter Gottes, um ein beliebiges Beispiel anzuführen, dankt ihrem Schöpfer dafür, dass sie empfangen durfte ohne zu sündigen, bittet ihn aber im selben Gebet darum, auch einmal sündigen zu dürfen ohne zu empfangen. Dies erklärt freilich noch nicht vollumfänglich satisfaktionell, weshalb sich ausgerechnet die Österreicher-Witze so großer Häme erfreuen. Denn Austria ist ja nicht eine besonders wüstenreiche Nation. Der clowneske Urgrund für dieses Humoritätsphänomen ist wahrscheinlich darin zu suchen, dass im jähen Absturz der Donaumonarchie zum Niemandsland der groteskesten Unsäglichkeiten das Freudsche Witz-Gefälle vorsintflutlich prähistorisiert ist. Ein geflügeltes Wort sagt: »C'est le ridicule qui tue«. Wir meinen in aller Bescheidenheit, dass umgekehrt ein Schuh draus wird. Wo das durch Lächerlichkeit Totregierte mit Pomp und Gloria herrscht, als wäre das K.u.K.-Prinzip

noch intakt, wo das Kaiserlich-Königliche im
Zoo als das Kakadu-Kolibrihafte zu bewun-
dern ist, da eröffnet sich dem gelernten Lach-
spezialisten der Zentralfriedhof des Ridikülen
mit seinen Mausoleen des schwarzmarmorier-
ten Humors.

Indessen hatte sich der Sohn der Ge-
schlechtsärztin, welche die Augen so steinern
niederschlagen konnte wie eine taxusumbuch-
tete Göttin im Park von Schönbrunn, nicht aus- 10
schließlich auf Österreich spezialisiert. Er trat
auf, wo immer Menschen sich versammelten,
um für eine dem Alltagsmief entrückte Stunde
vom Bazillus Heiterkeit angesteckt zu werden.
Und er dachte, wenn er sich in der Garderobe
präparierte, an die samenbelegte Stimme seiner Mutter, dachte an jene historische Kon-
sultation zurück, als sie in ihrer Praxis direkt
über dem Bestattungsinstitut ihres havanna-
rauchenden Gatten zur Feier seines 20. Ge- 20
burtstags im sterilisierten Operationskittel,
die Tizianlocken züchtig aufgebunden, mit ihrem Wüstenfuchs die Penis-Plethysmographie
durchführte. Man legt sich auf den Schragen,
dreht sich zur Seite, das Glied wird in ein Was-
serbad gehängt, und mit dem physikalischen

Prinzip der Volumenveränderung stellt man
fest, ob es erektionsfähig ist.

Das Prozedere kam ihm vor wie ein Labor-
Inzest, und er wollte ihr, während sie in me-
dizinischer Neutralität die Messung vornahm,
eigentlich mitteilen, dass er die Kakteen im
Sandkasten der Orangerie habe lachen hö-
ren. Aber der Sohn kam nicht dazu, denn das
Wasser war so gletscherseekalt, dass sein Ge-
mächte zu einer Totentrompete einschrum-
pelte. Und ausgerechnet jetzt, als er sich kas-
triert vom Schragen erhob, verlangte seine
schöne Mama von ihm den Fertilitätstest. Sie
schickte ihn mit dem Reagenzglas auf die Pra-
xistoilette und drückte ihm ein Wattebäusch-
chen, getränkt mit einem sanften Desinfekti-
onsmittel, in die Hand, denn Alkohol, so klärte
ihn die Ärztin auf, würde die Eichel verbren-
nen. Er würgte und würgte, doch es kam, wie
nicht anders zu erwarten, nicht zum derma-
tologisch geforderten Erguss, und als er ihr
das leere Röhrchen ins Sprechzimmer brachte,
sagte die kluge Frau, die über die 13 Arten des
Orgasmus dissertiert hatte, etwas für seine
berufliche Karriere orakelhaft Entscheiden-
des: Sogar am Galgenstrick hängende Kapi-

talverbrecher haben, bevor es ihnen die Luft
abschnürt, noch eine Ejaculatio letalis, und
an jener Stelle, wo der Samen auf den Boden
tropft, wächst die Alraune. Horribile dictu,
und sie begann schallend zu lachen in einer
diabolischen Tonlage, dass sein Innerstes zer-
sprang, und hätte man ihn nun auf den Kopf
gestellt, wäre nicht Blut, sondern roter Sand
aus ihm geronnen.

Daran musste er vor jedem Auftritt denken, 10
damit stimulierte er sich wie mit einer Droge,
und wenn er es innerhalb von wenigen Mi-
nuten auf der Bühne schaffte, dass der Saal
tobte, dass sich die Zuschauer hedonistisch
brüllend in den Armen lagen und die Tränen
aus den Augen wischten, dass sich die Garde-
robedamen hinter ihrem Tresen krümmten,
dass der Feuerwächter hinter den Kulissen
seine Mütze auf den Boden schleuderte, dass
die Beleuchter von ihren Scheinwerferkanzeln 20
zu stürzen drohten, dass sogar der Tempelvor-
hang entzweiriss, dann nur darum, weil der
grauenhafte Kunstfehler seiner Mutter sich ins
Gegenteil höchster Artistik verkehrt hatte. Halten wir kurz inne, entspannen wir die strapa-
zierte Muskulatur, versuchen wir das Hixi des

lauthalsichten Japsens und Prustens dadurch
zu besiegen, dass wir dreimal leer schlucken.
Dreimal leer in drei Teufels Namen. Gelingt
uns das, gewissermaßen gegen unsere eigene
Kunst, müssen wir uns sine ira et studio die
Frage stellen, welche Chance das nur aus wissenschaftlicher Neugier nicht abgetriebene
abnorme Freak-Stummel-Kind dieser Mutter, die durch ihre Behandlungsmethode un-
zählige Eunuchen-Traumata hinwegzauberte,
überhaupt gehabt hätte. Eine einzige, so wa-
gen wir zu behaupten: ihr schon im Alter von
fünf Jahren davonzulaufen. Es hätte erkennen
müssen, doch wer bringt das einem Fünfjäh-
rigen bei: Das Perfide an der Hölle sind nicht
die Daumenzwingen, das Perfide ist, dass sich
der Gehennakessel als Paradies tarnt.

Jahrzehnte später, als weltberühmter Lachartist, der es sogar schaffte, in Las Vegas den
Großillusionisten Siegfried and Roy Konkur-
renz zu machen, wurde das Kind, das mit
Stahlbändern an seine Matratze geschnallt
worden war, wurde der Zwanzigjährige, der
den Fertilitätstest nicht bestanden hatte, end-
lich erwachsen. Und er verdankte diese Er-
kenntnis einem Kollegen der Branche, dem Be-

rufsgrimassier Alfredo, der ihm nach einem glanzvollen Auftritt in der schäbigen Garderobe, inmitten der Schmink- und Garderoben-Utensilien einer Transvestiten-Truppe sagte: Schauen Sie, Rigidius Gelan, es ist doch so. Wer ziellos durch die Wüste irrt und mit verbranntem Gehirn die Fata Morgana eines Wasserfalls halluziniert, hat, solange er noch einen Fuß vor den anderen setzen kann, immer noch die Chance der Oase. Mag er auch mit hängender Zunge seine Spur durch den Sand ziehen, mag auch die Sonne, schwärzer als das schwärzeste Loch im All, auf seinen ausgemergelten Körper niederbrennen, mögen auch seine Organe veraschen und mag sein Skelett zu Knochenmehl zerbröseln, es gibt den Ort X mit dem rettenden Wasserloch. Die Expedition ist riskant: Jeder Schritt in die falsche Richtung bringt ihn dem Tod, der ihn als gleißender Himmel angrinst, eine Minute näher. Und der Tod, das wissen wir, ist unersättlich. Billionen und Aberbillionen von Leichen sind ihm nicht genug, er will immer noch eine mehr, und um die eine, mit der er seine Heerscharen verstärken kann, wirbt er mit der Verführungskunst eines Don Juan. Sein verlockendes

Angebot lautet: Gibs auf, dann wird dir kühl ums Herz.

Wie aber widersteht eine so leidenschaftlich hofierte Frau Don Juan? Durch den simplen Trick des Rollentauschs. Solange sie sich vorgaukeln lässt, sie sei die Königin, der man alle Schätze dieser Welt vor die makellosen Füße zu legen habe, solange sie den Schmäh glaubt, ihr blondes Undinenhaar sei aus purem Gold gewirkt, bleibt sie das ausgelieferte Weib. Sobald sie aber den Spieß umdreht und den König dadurch angreift, dass sie alle Offiziersfiguren ihrer Vorzüge opfert, ihm also, um in der Wüstenmetapher zu bleiben, den Goldstaub, den er ihr in seiner abgründigen Verlogenheit andichtet, in die Augen streut, wird er aus Männereitelkeit jenes simple Bäuerlein übersehen, das sich im Schutz des simulierten Rückzugsgefechts Feld um Feld voranschleicht und ihm, sofern die noch verbliebenen Wehrtürme richtig postiert sind, gnadenlos Schach bietet.

Also, einsamer Rufer in der Wüste, nicht der Tod hat dich in der Hand, sondern du ihn, solange du noch röchelst. Und als professioneller Lachartist, der die Lunge vom Zwerchfell her beherrscht, wirst du nicht aufhören zu röcheln, bis die gottverdammte Oase in Sicht kommt. Zentimeterweise auf allen Vieren kriechst du auf sie zu, und wenn du sie erreicht hast und dich als zutodegequälte Kreatur, der das ganze Universum das Krepieren wünschte, über den Tümpel beugst und als elender Hund das Wasser leckst, hast du einen Grad von Unsterblichkeit erreicht oder ganz einfach das Stundenglas umgestürzt. Die untere Urne, in die dein heiß und kalt kremierter Körper rieselte, ist nun die obere. Du hast zwei Siege errungen, einen über den Tod und einen über die Zeit, was naturgemäß auf dasselbe hinausläuft. Du bist der Leichengruft des Alls entronnen, und da du die Lachkunst beherrschst wie kein zweiter, lachst du die Sonne aus, dass sie in Demut umso heller erstrahlt, für dich. Ja, sie, die eben noch mörderische, scheint in diesem triumphalen Moment nur für dich, den grandiosesten Lachartisten aller Zeiten.

Leider ist meine Geschichte damit nicht zu Ende, und es wäre eine traurige, einem Virtuosen der künstlichen Heiterkeit in keiner Weise angemessene Geschichte, wenn sie so folkloris-

26

tisch enden würde. Denn da bleibt, unverrückbar wie das Antlitz der Sphinx, das Bild deiner Mutter, der schönen Ärztin, die im Schutz des hippokratischen Eides »nil nocere« ein nie zu sühnendes Kapitalverbrechen an dir beging. Und, als Schönheitsfehler subsidiärer Natur: In der Oase fehlt das Publikum, das mit dem tosenden Applaus den unsäglichen Tort der Weltweiblichkeit mit den tizianroten Locken übertönt. Es nützt dir jetzt nichts, dir als Gebärerin eine pickelübersäte Brillenschlange mit feisten Oberschenkeln und einem disproportionierten Becken zu wünschen, denn es gilt der römische Rechtsgrundsatz: Mater semper certa est. Also wirst du deiner Würde als Künstler und Mensch zuliebe und in der Einsicht, dass es ehrbarer ist, in Wahrheit zugrunde zu gehen als in der Lüge weiterzuexistieren, das Stundenglas noch einmal umdrehen. Du wirst die Oase, die dich rettete, verlassen und nach dem eisernen Gesetz handeln: Wer ziellos durch die Wüste irrt, hat die Chance der Oase, wer die Oase freiwillig verlässt, überantwortet sich dem Fluch der Wüste.

Deine Größe aber, welche das Kapitalverbrechen deiner schönen Mutter und Ärztin für

27

alle Zeiten rächt, besteht darin, dass du lieber zugrunde gehst, als dich auch nur noch eine einzige Erdensekunde an sie erinnern zu müssen. Und damit löschst du ihre Schönheit, ihre Weisheit, ihre Vollkommenheit aus. Denn du allein hättest vor den obersten Gerichtshöfen der Welt wider sie Zeugnis ablegen können. Du als Einziger warst der Equilibrist ihres Kunstfehlers. Da du die Oase verlässt und, weil deine Kräfte nicht mehr weit reichen, nach wenigen Kilometern dein Gesicht im Sand begräbst, ist dir etwas geglückt, woran zahllose Berufsverbrecher gescheitert sind: der perfekte Mord mit dem todsicheren Alibi. Der Tod eines einzelnen Menschen, und wäre es nur ein Nachtportier, der mit Bücklingen sein Trinkgeld verdient, ist zugleich ein Weltuntergang. Zwar lebt, objektiv betrachtet, deine Ärztinnenmutter mit den Tizianlocken weiter wie bisher und führt nach der Devise »Wir machen scharf, doch keiner darf« Fertilitätstests durch. Ihre Praxis floriert mehr denn je, und ihr Mann verdient weiterhin an jenen Exemplaren, die sie mit ihrer Kunst zutodemisshandelt. Doch frei nach Kant ist die allerletzte Wahrheit des Menschen eine subjektive, was zweierlei heißt:

Du hast diese Schmach nicht weiter zu ertragen, und sie ist ihres Todfeindes, der wider sie Zeugnis ablegen könnte, beraubt. Sie hat nun genauso wie du auch nur noch den Fluch der Wüste, und du gibst ihr das Diktum zurück: Staub soll sie fressen, und mit Lust. Sie, von Berufs wegen Herrin über Leben und Tod, sie, die Kommanda mit dem Peitschenbesteck, wird weiterhin als potentielle Miss World von der Weltmännlichkeit angehimmelt und auf Händen getragen werden. Aber sie wird auch eines erkennen müssen, frei nach Kant, dass frauliche Schönheit, und sei es die Aphrodite persönlich, keine objektive, sondern eine subjektive Tatsache ist. Am hellsten erstrahlt die Königin vor dem Hintergrund der Finsternis dessen, der sie am teuflischsten hasst. Und die Gnade dieses Hasses hat sie sich in dem historischen Moment verscherzt, wo du in deiner Wüste zugrunde gehst, zugrunde und zu Grund. Du hast ihr das einzig lohnende Argument geraubt, weiterhin so verbrecherisch schön zu sein. Deshalb wirst du nicht röchelnd, sondern lachend krepieren, Heiterkeitsillusionist, der du bist. Du bohrst dich virtuos grinsend in den heißen Sand und freust dich auf

29

die Ewigkeit des Nichtseins, in der dir ihre Tizianlocken nichts mehr anhaben können.

Kaum hatte der Berufsgrimassier Alfredo
in der schäbigen Garderobe des »Wonder-in-
the-night«-Theaters in Las Vegas seine Geschichte beendet, klopfte es an die Tür, und
der Manager des Unternehmens meldete mir,
eine elegante Dame im Nerz warte beim Artis-
teneingang mit einem Strauß Rosen auf mich,
den größten Lachartisten aller Zeiten. Er über-
gab mir eine Visitenkarte, ich traute meinen
Augen kaum, es war die Anschrift der Praxis
meiner Mutter, und mit roter Tinte hingekrit-
zelt in ihrer saloppen Rücklagenschrift: Mein
Sohn, ich möchte dich sprechen. Ich zeigte das
Billett Alfredo und fragte ihn, was er an meiner
Stelle tun würde. Er sagte kurz entschlossen:
Aha, auch sie kroch auf allen Vieren durch die
Wüste im Glauben, sie hätte noch die Chance
der Oase. Das einfachste ist, du wirfst eine
Münze. Kopf bedeutet, du gehst hinaus, Zahl,
du lässt dich verleugnen. Es war ein schweize-
rischer Fünfliber, auf der einen Seite der Wil-
helm Tell, auf der anderen das Kreuz. Ich bat
Alfredo, für mich die Münze zu werfen. Nun
war er eben nicht nur ein weltberühmter Gri-

30

Hermann Burger, am 29. August 1988 vor
dem Pächterhaus von Schloss Brunegg

PHOTOGRAPHIE YVONNE BÖHLER

33

9 14 Paris] *von Hand ergänzt, statt durchgestrichen:* Krakau

10 19 nil] *von Hand ergänzt, statt durchgestrichen:* nihil

18 03 Eller-Oller] *Vgl. Søren Kierkegaard,* Enten – Eller: Et Livs-Fragment, *Kjøbenhavn 1843 (dt.:* Entweder – Oder: Ein Lebensfragment*). Burger gibt diesen Titel hier – wie schon in seinem zweiten Roman* Die Künstliche Mutter, *Frankfurt am Main 1982, S. 253 – nicht ›korrekt‹ wieder.*

22 26 das Hixi] *von Hand ergänzt, statt durchgestrichen:* den Schluckauf

24 05 Rigidius] *sic! Obwohl der Künstlervorname des Lachartisten bei der erstmaligen Nennung* Riderius *lautet (vgl. 17 01), spricht ihn Alfredo hier mit Rigidius an.*

27 04 nil] *statt* nihil *(vgl. Anm. zu 10 19)*

30 03 Alfredo] *statt* Spardelotto *Hier und in der Folge wird der Berufsgrimassier Alfredo (vgl. 24 01) mit dem Namen des zuvor genannten Altmeisters Spardelotto (vgl. 18 24) belegt, der offensichtlich nicht mit ihm identisch ist.*

30 16 Alfredo] *statt* Spardelotto

30 25 Alfredo]   *statt* Spardelotto

31 06 eller oller]   *Vgl. Anm. zu 18 03. Die korrekte dänische Übersetzung von ›weder noch‹ lautet ›hverken eller‹ und kommt bei Kierkegaard als ›Antwort‹ auf das existenzielle ›Entweder – Oder‹ so nicht vor.*

31 19 Alfredos]   *statt* Spardelottos

Das Prosastück *Der Lachartist* entstand rund ein halbes Jahr vor Hermann Burgers Tod, wurde von ihm jedoch zu Lebzeiten nicht mehr autorisiert. Über die möglichen Gründe dafür kann nur spekuliert werden. Fest steht, dass diese kurze Erzählung sowohl fertig ausgearbeitet ist, als auch etliche von Burgers ›Problemkonstanten‹ gleichsam in einer Nussschale vor Augen führt. Ihre postume Veröffentlichung erscheint insofern angebracht.

Der Textträger, auf dem die Gestaltung der hiermit vorgelegten *editio princeps* basiert, befindet sich heute in Burgers Nachlass, der im Herbst 1989 durch die Schweizerische Eidgenossenschaft von Burgers Erben erworben wurde und seit der Gründung des Schweizerischen Literaturarchivs Bern (SLA) im Januar 1991 zu dessen Bestand gehört (Schachtel-Nr. 35; Signatur A–01-17). Es handelt sich dabei um ein Typoskript mit wenigen Korrekturen in brauner Tinte, die von Burgers Hand stammen. Das Typoskript umfasst 13 DIN A4-Blätter, die einseitig beschrieben und in der Kopfzeile zentriert paginiert sind (»- 1 -« etc.). Die Blätter 1, 2 und 6–13 bestehen aus stark vergilbtem Schreibpapier, die Kanten sind links und rechts gerissen. Die Blätter 3–5 hingegen sind aus weißem Schreibmaschinenpapier. Alle Blätter waren ursprünglich oben links (recto) mit einer Heftklammer miteinander verbunden. Die Heftklammer wurde mittlerweile aus konservatorischen Gründen entfernt. Überdies haben auch alle Blätter einen horizontalen Falz, der ein wenig unterhalb der Mitte, aber nicht parallel zur oberen/unteren Kante verläuft. Einzig das erste Blatt indessen weist in der Mitte rechts (recto) einen markanten Fettfleck auf.

Das Typoskript ist oben links auf dem ersten Blatt datiert: »Beg[onnen] Konstanz, den 18. September 1988«. Burger begann die Niederschrift des Textes demnach an einem Sonntag am Wohnort seiner damaligen Partnerin Jutta Kohn und zwar – erkennbar am Schriftbild – auf seiner persönlichen Schreibmaschine, einer ›Hermes 3000‹, die heute ebenfalls Teil seines Nachlasses ist.

Dieser erstmalige Abdruck von *Der Lachartist* ist aus Rücksicht auf die Lesbarkeit des Textes nicht diplomatisch. Dementsprechend wurde auf die Markierung des Seiten- und Zeilenumbruchs des Typoskripts verzichtet. Eindeutige Tippfehler sowie offensichtliche Versehen wurden stillschweigend emendiert. Ebenso erfolgten die behutsame Anpassung an die neue deutsche Rechtschreibung (v. a. ›ß‹ statt ›ss‹) und die Umwandlung der auf der mit Schweizer Tas-

38

tatur ausgestatteten ›Hermes 3000‹ nicht zur Verfü-
gung stehenden versalen Umlaute (›Ä‹, ›Ö‹, ›Ü‹ statt
›Ae‹, ›Oe‹, ›Ue‹). Alle anderen Eingriffe in den Origi-
nallaut des Textes sind in den ›textkritischen Anmer-
kungen‹ (vgl. Seite 35 f.) nachgewiesen.

Hermann Burger, am 10. Juli 1942 in Aarau geboren und in Menziken aufgewachsen, studierte Germanistik, Kunstgeschichte und Didaktik an der Universität Zürich, promovierte 1973 bei Emil Staiger über Paul Celan und habilitierte sich 1975 mit einer Studie zur zeitgenössischen Schweizer Literatur. Anschließend war er Privatdozent für deutsche Literatur an der Eidgenössischen Technischen Hochschule (ETH) Zürich und Feuilletonredakteur beim *Aargauer Tagblatt*. Sein literarisches Debüt gab er 1967 mit dem Gedichtband *Rauchsignale*, dem 1970 die Prosastücke *Bork* folgten. Der internationale Durchbruch gelang ihm 1976 mit dem Roman *Schilten: Schulbericht zuhanden der Inspektorenkonferenz*. Für sein Werk wurde er wiederholt ausgezeichnet: 1980 erhielt er den Conrad Ferdinand Meyer-Preis, 1983 für seinen zweiten Roman *Die Künstliche Mutter* (1982) den Friedrich Hölderlin-Preis und 1985 für die Erzählung *Die Wasserfallfinsternis von Badgastein* den Ingeborg Bachmann-Preis. 1986 nahm er die Gastdozentur für Poetik an der Goethe-Universität Frankfurt am Main wahr. Sein letztes großes Projekt, die *Brenner*-Tetralogie, kam über den ersten Band *Brunsleben* und das 1992 postum veröffentlichte Fragment des zweiten Bandes *Menzenmang* nicht mehr hinaus: Burger starb am 28. Februar 1989 an seinem Wohnsitz im Pächterhaus von Schloss Brunegg. Laut Obduktionsbericht hatte die Einnahme von zehn Tabletten Vesparax, kombiniert mit Alkohol, zum Herzstillstand geführt.

In Vorbereitung:

Magnus Wieland / Simon Zumsteg (Hgg.)

**Hermann Burger –
Zur zwanzigsten Wiederkehr seines Todestages**

In Zusammenarbeit mit dem Deutschen Seminar
der Universität Zürich, ca. 240 Seiten, französische
Broschur, Fadenheftung

Mit einem bisher unveröffentlichten Text von
Hermann Burger, »Poetische und wissenschaft-
liche Sprache« (1983), und mit Beiträgen von
Erika Hammer, Franziska Kolp, Sabine Mainberger,
Sonja Osterwalder, Heinz-Peter Preußer, Monika
Schmitz-Emans, Andreas Urs Sommer, Thomas
Strässle, Karl Wagner, Jürgen Wertheimer, Magnus
Wieland, Irmgard Wirtz, Marie-Luise Wünsche,
Simon Zumsteg, u.a.

Edition Voldemeer Zürich
Springer Wien New York

Tobia Bezzola / Roman Kurzmeyer (eds.)

Harald Szeemann

with by through because towards despite
Catalogue of all exhibitions 1957–2005

English, 768 pages, 22 × 28 cm, 962 illustrations, hardcover, with a
Chinese supplement, 2007, ISBN 978-3211-86632-3 / CHF 145 / EUR 87

"This book documents an outstanding working biography, functioning
as a catalogue raisonné of Szeemann's curatorial projects. [...] This
record of Szeemann's professional work reveals a personality whose
idiosyncratic, wide ranging interests, energy, and passion changed
the understanding and experience of contemporary art." — Josef
Helfenstein, Director of The Menil Collection, Houston

"Harald Szeemann was active for a forty year period during which art
changed as much formally, conceptually, and poetically as at any time
in history. Knowing that, he ushered in changes in how art is shown
that were as radical, imaginative, and challenging as well as engag-
ing to the viewer as the work he responded to [...]. He was, as T. S. Eliot
said of Ezra Pound, 'il migliore fabbro.' " — Robert Storr, Dean of the
Yale School of Art, Director of the Biennale di Venezia 2007

"[...] it was probably inevitable that the profession of independent,
nomadic impressario-curator would be born. Luckily, among the
first—and certainly the most effective—of the lot was the gener-
ous, honest, brave, indefatigable and visionary Swiss rebel Harald
Szeemann. Today, with Szeemann-like biennials and giant thematic
exhibitions as common as, oh, art blogs, it's not surprising that a big,
hardcover, door-stopping monograph on the work of a *curator* would
appear. But luck still holds. *Harald Szeemann: with by through because towards despite* is very much like a Szeemann-curated exhibition—a collage writ a little too large, with all the rough edges still
showing. The volume contains a chronological dossier of specs and
photographs of each and every one of his shows, along with retro-
spective commentary elicited from Szeemann by editors Tobia Bezzola
and Roman Kurzmeyer shortly before the curator passed away. It's a
rough, lively paen with, apparently (I never met him), the gritty charm
of the man himself. [...] he said later in life to a interviewer, 'The nice
thing about utopias is precisly that they fail. For me failure is a poetic
dimension of art.' It could be argued, in fact, that Szeemann's chief in-
vention as a curator was the introduction of 'failure'—in the form of
incompleteness, open-endedness, contradiction and diagreement—as
the primary goal of any serious contemporary art exhibition. [...]
Serra—one of Szeemann's deservedly favorite artists—once charac-

terized the virtue of an old, physically modest and relatively clumsy Malevich painting, compared to a contemporary geometric abstraction done much bigger, slicker and brighter, as the 'crudity of the initial effort.' That's what Szeemann's raucous and relentlessy inquisitive shows — especially those before mid-1980's — possessed in spades. And that's exactly what very few curators following in his wake have been able to come up with since." — Peter Plagens, in: *Art in America* (December 2007)

« [...] l'un des plus grands, pour ne pas dire le plus grand commissaire d'expositions de la seconde moitié du XXe siècle [...] Dans l'héritage de son auteur, ce livre a donc le mérite de rassembler toutes ses ‹ *mythologies individuelles* › sans chercher à les interpréter. » — Valérie Da Costa, in: *mouvement* 47 (Paris, avril-juin 2008)

Edition Voldemeer Zürich
Springer Wien New York

Huang Qi (ed.)

Chinese Characters then and now
Ginkgo Series Volume 1

Essays by Qi Gong, and by Hou Gang, Zhao Ping'an, Chen Guying, Zhao Jiping, Yau Shing-Tung, English / Chinese, translated by Jerry Norman, Helen Wang and Wang Tao, 352 pages, 122 illustrations, 23 × 33 cm, hardcover, 2004, ISBN 3-211-22795-4 / CHF 148 / EUR 89

Erstmals in traditionellen chinesischen Zeichen und gleichzeitig erstmals in englischer Sprache veröffentlichte im vorliegenden Band einer der berühmtesten Schriftkünstler Chinas, der hochangesehene Gelehrte Qi Gong (1912–2005, u.a langjähriger Leiter des National Cultural Relics Authentication Commitee und Ehrenpräsident der Chinesischen Gesellschaft für Kalligraphie) seine wichtigsten, eigens für die vorliegende Publikation revidierten Texte zur Geschichte der chinesischen Schriftzeichen und über seine lebenslange Erfahrung als Schriftkünstler.

Der an der Harvard University und in Hong Kong lehrende, sowohl mit der Fields Medal als auch mit dem Crafoord Prize ausgezeichnete Mathematiker Yau Shing-Tung, äussert seine Gedanken zu den

Schriftzeichen seiner Muttersprache. Der Komponist Zhao Jiping (Filmscores u. a. zu *Lebewohl meine Konkubine*) reflektiert über die Beziehung zwischen chinesischen Zeichen und Musik. Der an der National Taiwan University Geschichte der Philosophie lehrende Chen Guying, Experte für Laozi und Zhuangzi, behandelt in seinem Text das Schriftzeichen »Dao«. Der junge Philologe Zhao Ping'an (Beijing Normal University) vertritt im vorliegenden Band die neuere wissenschaftliche Forschung und berücksichtigt in seinem Beitrag neue archeologische Funde. Zahlreiche grossformatige Tafeln dokumentieren wichtigste Zeugnisse aus der Geschichte der chinesischen Schriftzeichen. Der sorgfältig edierte Band eröffnet sowohl für Laien als auch für Fachleute, sowohl für die chinesische als auch für die westliche Leserschaft einen fundierten Einblick in die Welt der chinesischen Schriftzeichen. Die Übersetzungen ins Englische besorgten Wang Tao (SOAS, University of London), Helen Wang (British Museum) und Jerry Norman (University of Washington, Seattle).

Qi Gong   *A Discourse on Chinese Epigraphy*

Qi Gong   *A Personal Understanding*
of Chinese Calligraphy

Huo Gang   *A Biographical Note on Qi Gong*

Zhao Ping'an   *The Influence of Clericalization on Chinese Characters:*
Expounding a critical stage in the development of the Chinese script

Chen Guying   *The Chinese Character Dao and the Philosophy of Laozi*
and Zhuangzi: Laozi's and Zhuangzi's theory of the Dao looked at from
three points of view

Zhao Jiping   *Music and Chinese Characters: A dialogue in the Qin-*
gling Mountains

Yau Shing-Tung   *A Mathematician Looks at Chinese Characters*

For the first time, leading personalities such as Qi Gong, Yau Shing-Tung, Zhao Jiping, Chen Guying and Zhao Ping'an write together about one of the most important vehicles of their culture, Chinese characters. This carefully edited and well-designed volume offers both the Chinese and western reader a unique and thorough insight into the world of Chinese characters.

»[...] eine der schönsten sprachwissenschaftlichen Publikationen der letzten Jahre [...] ein ausserordentlich umsichtiges Grundlagenwerk«
— *Neue Zürcher Zeitung*

Edition Voldemeer Zürich
Springer Wien New York